시의 한 문장을 읊어주던 님이

나의 목덜미를 무는 꿈이었다

시의 한 문장을 읊어주던 님이
나의 목덜미를 무는 꿈이었다

꽃이 진 자리에는 열매가 맺히고,

눈꽃 진 자리에는 꽃이 피어난다

슈미트리아나

새벽안개가 가라앉아 있는 곳에
여명과 함께 동풍이 불어올 때면

금세 바람을 타고 날 듯한
은백색 꽃 날개가 펼쳐진다

분명 안개가 걷혔음에도 속을 만큼
차분히 땅을 덮고 있는 아침 안개풀

잎을 아름따다 술을 빚어 마시면
무지개의 끝머리를 찾을 수 있다

히프노스의 뜰

흰 달이 뜬 밤에 조막손을 잡으면
원하는 곳으로 이끌어 준다

작은 손가락들이 하나둘 접힐 때마다
잠긴 문이 열리며 위로 향하는 길이 열린다

그렇게 한 개 두 개 꼽아가다 보면
어느새 눈앞에는 커다란 하얀 문이

마지막 손가락이 접히며 열린 곳은
잠을 나눠주는 달이 이면

풀을 뜯던 양들이 놀라
고개 들어 눈을 맞추네

sleep

농익은 열매의 과즙과
낙엽의 갈빛을 그러모아
늦가을을 장식하는 사프란

향기 가득한 쉼터에
양들이 낮잠을 청한다

꽃밭을 뒤척이며
부푸는 털 안쪽에

향을 꼭꼭 여미어
겨울을 준비한다

양 한 마리 양 두 마리 양 세 마리
울타리 너머 꿈의 초원으로

입맞춤

그대의 겉옷을 덮고
잠들었던 것 같은데

웃옷은 오간 데 없고
붉은 꽃잎만 흩날리네

내게 무릎베개를 해주고
꾸벅꾸벅 졸고 있는 그대

목을 감싸내려
입을 맞췄네

미로

그녀를 품에 안아보니
체향에 아찔해집니다

옷깃에 꽃잎을 여며났나요
화원에서 길을 잃었습니다

잠시 어린아이가 되어
가만히 머물러봅니다

가을날 농익은 꽃물이
제 가슴에 배어듭니다

레몬

자줏빛 쓰개치마
하얀 당신의 손에

진녹색 과실 들려주니
샛노랗게 익어갑니다

되돌려받은 그 열매
한 입 베어 물어보니

시야가 그대로 가득 차
눈부셔 감을 수밖에요

화관

순백의 시트러스 꽃을
머리에 이고 당신에게로

나의 손이 그대 손에 얹어지자
맥박이 공명하며 퍼지는 향기

꽃잎을 뿌리며 쫓는 화동과
잔잔히 흐르는 피아노 선율

환희로 가득 찬 이곳에서
동화 속 주인공이 되었네

비밀스런 애정

은백색 꽃자루 채 모아
펼쳐놓고 서서히 말린다

투명한 병에 가득 담아
너에게 선물해야지

한 문장 글쪽지도
함께 넣어 줄 거야

네가 편지를 꺼내 읽을 때
꽃말도 함께 전해졌으면 해

꽃점

내 마음에 의심이 들 때마다
꽃잎을 한 장씩 떼어봅니다

사랑한다 안 한다
꽃점을 쳐봅니다

설렘 반 두려움 반
어떤 답이 나올까요

사실 결과는 정해져 있답니다
꽃잎이 홀수인 것만 쓰거든요

춤사위

그대가 춤을 출 때면
자홍빛 꽃이 피어난단다

빙글빙글 도는 발자국
몽글몽글 피는 꽃향기

펼쳐진 치맛자락의 자태는
정원에서 가장 아름다운 꽃사귀

당신은 내게 위안으로 다가와
행복을 알려주고 사랑으로 존재하네

그대가 있기에 행복이 있네

잎새와 꽃잎을 짓이겨
귀 뒤쪽에 펴 바르고

다가오는 당신을
활짝 껴안아 본다

나의 목에 고개를 파묻고
한껏 숨을 들이켜는 그대

당신은 향기가 좋다며 헤실거리네
나에겐 그대가 있기에 행복이 있네

그대가 있기에 사랑이 있네

붉은 꽃신을 신고 당신을 마주해요
좋은 곳으로 데려다주고 싶거든요

도착할 때까지 절대 비밀이랍니다
위험한 곳은 아니니 걱정 말아요

신발에 흙이 묻어도 괜찮아요
원래 꽃은 흙에서 자란답니다

도착한 곳은 꽃을 좋아하는 그댈 위한 화원
해맑게 웃는 그대가 있기에 사랑이 있네

야래향夜來香

별빛을 그러모아 청량한 이슬에 개어
달그림자 틀에 찍어 결국 피워냈는가

여름날 짧은 밤이 아쉬워
월하노인이 가꾼 야래향

꽃들이 잠들어 향기가 적요할 때
오롯이 피어나 향 안개 드리우네

새 아기씨 손가락에
붉은 실 얽힐 때

끼얹어지는 향수
신방新房을 가득 메우네

연락

플란넬 셔츠의 단추를 여미고
고개를 들어 거울에 비춰본다

보드라운 촉감에
오소소 돋는 소름

간지러워 붉게 익은 얼굴
아니 사실 상기된 것일까

어젯밤 '오랜만이야'로 시작된
한 통의 전화가 걸려 왔었다

빙카

대지의 기쁨이 만들어 낸
보랏빛 바람개비

청춘남녀가 산책길에
한 장씩 나눠 먹으면

사랑니가 곧게 자라
어금니와 맞물린다

서로의 어깨를 부딪치며
향유하는 사랑의 묘약

믿기지 않아

'사랑한다'라고 끝맺은 꽃잎을
왼쪽 주머니 깊은 곳에 넣어둬

장난스레 잡은 오른손
꽃잎을 꼬옥 쥔 왼손

날 사랑해라 주문을 되뇌어
아직 믿기지 않아서 그래

네가 나와 만나고 있단 사실이
네가 나를 사랑하고 있단 말이

Ai

기억을 잘게 쪼개어
꽃잎에 그려 넣고

여명을 물레로 자아
그 실로 수를 놓는다

당신은 알지 못할
나만의 언어

애증을 담뿍 담아
전해지지 않을 곳으로

사랑이 마음에 머문다

당신 품에 안긴
작은 꽃 무더기

도곤도곤 심박을 타고 퍼지는 향기
면사포 아래 말간 얼굴에선 눈물이

Ai(悲哀)를 스러모아
Ai(愛)로 엮기까지

얼마나 먼 길을 돌아
나에게 닿았나요

꽃잎을 줍다 망가진 손끝에서
색이 배어 나와 꽃말을 바꾸네

등대

푸른 겁화가 내 몸을 사르면
당신을 비추는 빛이 될게요

함께 들에 누워 바라보던
창공 저 끝의 색을 따다

어두워 보이지 않는 곳에서도
나 있는 곳 찾아올 수 있게

그대여 내게로 돌아오세요
운명을 거슬러 인연에게로

불꽃의 정원

희망이라 이름 붙여진 완만한 봉우리 너머엔
단 하나의 손길로 가꾼 찬란한 정원이 있다

사랑을 꿈꾸는 젊은이들의 소망이
바닷바람을 타고 정원에 당도하면

그들의 인연을 알 수 있는
꽃봉오리가 부풀어 오른다

습윤한 목소리를 지닌 정원사가
안개 같은 손짓으로 망울을 건드리자

방울 소리를 내며 개화하는 또 하나의 사랑
그로부터 번지는 파문이 온 정원을 덮는다

그림자가 존재하지 않는
이곳의 이름은 불꽃의 정원

노을을 등지고 절벽에 걸터앉은 그녀가
다음 인연을 기다리며 흥얼거린다

구름 꽃

나뭇가지에 소복이 피어난
한 송이 연분홍 구름 꽃

피어나지 못한 봉오리는
진분홍 천사의 알

수줍게 꽃술을 내밀어
바람과 손을 잡는다

섶 속에 감춘 여물지 않은 과실은
진실한 내 님에게 전해질 선물

천리향

밤눈이 어둡다면
차라리 눈을 감고

제 향기를 쫓아
걸음을 옮기세요

천리에 심겨 있는
저의 자욱을 따라

봄으로 가는 길
쫓아 오시어요

수줍음

봄꽃들은 성급하다
단 사흘의 연홍빛 꿈

잎새 모르게 피어나
만날 때쯤이면 진다

뒤늦게 자라난 새순이
떨어지는 꽃잎을 보며

무엇이 그리도 수줍어
도망가느냐고 묻는다

순애

나비만이 초대받을 수 있는 정원
연약한 꽃대는 순애를 뜻한다

홍조를 잔뜩 피워 올리고는
연이 맺어지길 고대하고 있다

한여름 초록 물결
부유해가는 마음들

신이 내린 꽃이라 불리우는
작고 어여쁜 소녀들의 첫사랑

개화

옅은 홍조가 무거운지
고개를 푸욱 숙이고

머리를 떠난 몸이
나를 휘감으려다

잔뜩 돋친 가시를 깨닫고 멈칫
발갛던 얼굴이 더욱 짙어진다

얼굴을 들어 올려 입을 맞추자
화들짝 개화하는 여름의 시작

숨바꼭질

설경 사이 남모르게 피어나
동박새와 숨바꼭질하는 꽃

꽃 위에 눈꽃을 덮고
쪽잠을 청해본다

꽃머리 따다 잎 끄트머리에
입 맞추니 달콤함이 감돈다

어느 겨울의 첫 키스
하얗게 감춰진 사랑

비밀 편지

바위에 새겨진 요정의 언어
그들은 문자에도 날개가 있단다

눈 천사를 그리듯
등을 기대어 적은 시

향기로운 문장의 뜻은
절실한 사랑의 고백

수취인만 읽을 수 있는
둘만이 비밀 이야기

달의 밀어

달빛 따라 피우는
곱디고운 노란빛

허나 밤이 지나면
붉게 고갤 숙이네

별들을 질투하는 요정의 투정에
달콤한 말로 달래주는 달의 밀어

무슨 이야기를 속삭였기에
부끄러워하며 잠에 드는가

제비꽃

쇄골에 자화지정紫花地丁을 심어
눈물로써 꽃 피우면

덩굴처럼 길게 자라
어깨를 감싼단다

꽃술이 귓바퀴를 간질이고
뿌리가 무명지에 가닿으면

지난 사랑에 덧난
생손이 낫는단다

뱃놀이

어두운 밤 향기에 이끌려
도달한 곳은 하얀 꽃그늘

맺힌 밤이슬을 훑어다
마른 머리를 적셔본다

눈을 감았다 뜨니
밤은 오간데 없고

영영 잠들어 묻혔던 내 님
향유香油 위에서 뱃놀이하네

각인

봄을 맞은 아담의 마지막 손길
다시는 잊지 않겠다는 약속

여명이 새겨넣은
망각되지 않을 아름다움

온갖 미사여구도
이 꽃만 못 할 테니

그대에게 드리리다
나 또한 잊지 말아 달라고

빛이 심어진 자리

당신은 당신만이 빛을 찾았나요
여기 땅에서 피어난 빛의 잔해가 있답니다

별의 티끌보다도 작을 테지만
누구보다 하늘을 사랑하는 아이랍니다

우리가 볼 수 있는 가장 커다란 별이
정점에 다다른 순간에만 피는 꽃

그대도 그대만의 빛을 찾아
멀리 가실 필요가 있을까요

애정표현

개울둑 따라 엉킨 줄기에
매혹적인 뱀의 열매가 맺혔다

현혹될 수밖에 없는
검붉은 장미의 과실

마음을 꺼내 보여줄 수 없으니
아름 따다 안겨주면 어떨까

잡초에 베여 독오른 손끝은
소매 속에 미리 감추어 두자

침묵

그날 우리 머리 위에 핀 꽃은
어떤 색을 가진 장미였을까요

달빛에 가려져 창백하기만 했던
꽃의 말은 어떤 뜻이었을까요

덩굴 아래서 속삭였던
비밀스러웠던 귓속말

그저 이렇게 침묵하고 있으면
우리의 사랑이 이루어질까요

점묘

아직 열매를 맺지 못하는
어린 나뭇가지는 자줏빛

어디까지 뻗어 가려나
꽃 피울 날만 손꼽는다

언젠가 꽃잎으로
하늘을 점묘하려

분홍 꽃망울은
하양을 품는다

바보 아저씨

빨간 얼굴에 새치가 많고
말이 없는 바보 아저씨

하지만 나는 알지요
아저씨는 노랠 잘한다는 걸

담장 뒤쪽에 쭈그리고 앉아
뽀얀 구름으로 부르는 온음표

새치도 흥얼흥얼 나부끼는
우리 아저씨 괴롭히지 말아요

반지꽃

손끝에 풀이 물든 아이의 손엔
손톱만 한 하얀 꽃이 쥐어져 있었다

옆집 아이 반지 만들어 준다고
꼼지락거리며 매듭을 묶는다

어떤 의미냐 물으니
배시시 웃으며 하는 말

그 애 앞에 내가
이 꽃을 닮았어요

고개가 숙여지고 키가 작아지면서
발가락부터 간질간질 뭐가 자라요

저물어가는 유년

자줏빛 석양이 꽃사귀를 염染하여
들판에 구름이 앉아 짙게 흐르네

손끝이 초록으로 물든 아이는
줄기 엮어 손가락을 꾸미고

가장 환하게 핀 것으로
귓바퀴를 장식하네

풀 내음 사무치는 행복
또 하루 유년이 져가네

숨

젊은 날의 추억을 더듬다
옛사랑 숨결에 가닿으면

그때의 향기가 배어들어
희게 퇴색되는 시의 계절

연가를 읊던 이 머리가 희어
고요한 설산같이 침묵할 때

날숨에 뱉어지는 향기만은
자못 풍성하여 어지러워라

도롱이

곧 오란비가 찾아올 테니
나를 삼아 두르도록 해요

발이 젖는 것까진
못 막아 주겠지만

적어도 품 안의 서찰만은
번지지 않게 할 수 있겠죠

하늘이 꺾꽂이를 시작했어요
뛰어요 비가 가득 자라기 전에

어부바

잎가가 붉은 아이는
초록 속에 꽃 피우고

그 수해에 업혀
숲속을 노니네

초록이 말하길
이맘때 이곳에는 오디가 떨어진단다
여기엔 가끔씩 도토리가 숨겨져 있어

네가 홀로 뿌리내리는 날까지
이 숲의 모든 비밀을 알려줄게

아직 말하는 법을 배우지 못한 아이는
마냥 좋은지 발갛게 웃네

벚나무 그늘 아래

아름다움은 덧없어
산들바람에 흩날리고

그늘 밑 서로의 어깨를 맞대고
잠든 연인에게로 내려앉네

작은 숨결로 말하는
축복의 속삭임

볕과 함께 깨어지며
자라나는 연두

꽃이불

잠든 천사를 위해
그늘을 드리워

숙면을 주었더니
이끼를 덮어주네

서로가 잠을 나누어
꿈 없는 밤 지나가고

이른 아침 눈을 떠보니
색과 향이 덧칠되었네

낙엽

겨울로 들어섭니다
저를 덮고 잠드세요

고요히 내려앉는 서리도
모두 제 머리에 쌓을게요

당신의 지붕이 될게요
잠시만 기다려주세요

제가 녹아 바스러지면
그때 봄을 맞이하세요

나르시스

그대가 나의 수면을 깨뜨려
금빛 윤슬이 수놓아 집니다

이지러지는 그대의 얼굴에
마른 입술을 마주해 봅니다

내게로 다가오다가도
옅은 숨에 도망치는 당신

그 사랑에 안달이 나
결국 숨이 멎겠습니다

이면의 나르시스

한번 웃어볼래요?
그는 오히려 울상이 되었다

이미 오래전부터 눈물에 잠겨 사는 난
한 방울 숨결을 짜내려 늘 안간힘이다

소리를 빼앗긴 인어
오색 비늘이 탈색되어 간다

손끝이라도 닿을 수 있다면 좋으련만
달빛 씻은 수면이 깨어지지 않는다

프리지아

물에 비친 그림자와 사랑에 빠진
그런 당신마저 사랑하겠습니다

이윽고 그대가 그대를 만나러 갔을 때
그제야 당신을 안을 수 있었습니다

창백한 얼굴을 쓰다듬으며
파문이 일만큼 울었습니다

폐부를 짜내어 남는 것 하나 없이
입을 맞추고 또 맞추었습니다

그럼에도 당신은 당신만을 사랑하고
나는 그런 모습의 그대를 사랑합니다

세이지

알싸한 향이
감도는 뒤뜰

참나무 요정과
춤을 추는 왕

이 둘의 사랑은 곧
비극을 맞을 테지만

이미 서로 알고 있음이니
이 순간만은 희극이어라

즈려밟고 가신 꽃잎

꽃잎 위에 찍힌
님의 발자국에

제 발을 덧대며
그리워합니다

밤을 지새우며 슬퍼하다
울음소리조차 빼앗기면

두견화杜鵑花로 피어나
향기로 우렵니다

멍

심장의 고동이 땅을 울려
꽃잎이 멍들어 피어난다

혼자만의 사랑이 고착되어
이기로 변질되어 버린 죄

잘못을 인지하지 못하는
무지한 자의 가없은 꽃

사랑 비슷한 것만 주어도
활짝 피었다 금세 시든다

점철

사랑에 배신당하고 순결마저 짓밟힌
하얗던 아가씨는 보랏빛을 탐하였네

그녀의 묘비가 보이지 않을 정도로
쌓아 올린 보랏빛마저 희게 탈색되고

나아가 그녀가 묻힌 교회의 공동묘지에선
더 이상 보랏빛 라일락을 찾아볼 수 없다네

모든 색을 끌어안고 잠든 아가씨의 꿈은
언제나 우울과 체념으로 점철되어 있다네

흐린 날

길고 긴 장마입니다
비가 오지 않는 날에도
해님은 실루엣만 보인 채
사다리를 내려주지 않습니다

찬란하던 빛무리가 그립습니다
오직 그대만을 바라보며
한 장 한 장 꽃잎을 세었는데
모두 부질없는 일이었을까요

구름의 질투로
여드레를 보내고
시들어 죽어버린
소년의 이야기

미안하오

그대가 그리우면
하얀 꽃그늘 찾고

당신이 꿈에라도 나오면
그날은 열매 따다 먹지요

저승길 노잣돈으로 들려준
내 머리칼은 쓰기나 썼소?

보드랍지 못해 제값이나
받았을지 모르겠소

창포물에라도 적셔줄 것을
미안하오 미안하오

봉선화

거문고를 뜯는 일이
유일한 낙이었는데

모진 병이 찾아와
손가락을 굳히네

현을 피로 물들여 가는
님을 위한 마지막 연주

그대를 원망하지 않으니
귀한 그 손 거두어주세요

안래홍 雁來紅

기러기가 날아가니
잎사귀가 변색되고

그 사이로 꽃이 피어나니
늘어져 땅에 닿을 듯하네

꽃잎도 잎사귀도 붉음을 가져
마치 피 흘림을 연상케 하는데

떠난 새가 남긴 말이 무엇이기에
이리 상처받아 눈물 게워내는가

오르페우스

슬픈 리라 선율에
뿌리를 뻗은 나무

지하세계까지 닿아
그녀를 쓰다듬을까

나의 악기는 받들려
밤 한켠에 자리 잡고

나의 목소리는 서글피
노래를 부르다 묻히네

단양쑥부쟁이

쑥을 캐느라 까슬해진 손
불과 함께 살아 그을린 피부
심성은 곱고 부지런하다네

언젠가 은혜 입은 노루가
보답으로 준 자색 주머니
속에는 세 개의 노란 구슬

입에 머금고 소원을 빌었다
첫 번째 소원은 이루었으나
두세 번째 소원은 헛되어 버렸다

후일 쑥부쟁이 절벽에서 떨어진 날
그녀가 묻힌 산등성이 꽃나물들은
유독 꽃대가 길게 자란다고 한다

애모

저의 시선을 느끼지 못하셨나요
당신을 바라다 바래버렸습니다

검게 죽어 이젠 하늘을 못 보고
땅을 쳐다보다 이내 떨어지겠죠

어찌 한 번을 멈추지 않으십니까
그렇게 애모의 눈길을 보냈는데
무심히 서녘으로 넘어가십니까

매일 밤 당신을 원망하며 잠들면서도
여명에 다시 고개를 들고야 말았던
어리석은 저를 탓해야 하는 건가요

비녀

바닷바람에도 견고한
아녀자의 쪽진머리

흑단을 장식한
심홍의 둥근 꽃

바다로 떠나 오지 않는 무심한 님
그리움의 앙금이 백사장이 되었네

말라가는 꽃잎 따라
머리칼도 새어가네

백일기도

하얀 깃발을 바라는
한 처녀의 백일기도

기다림 끝에 돌아온 것은
피에 젖은 깃발이었으니

상심이 커진 그녀는
절벽에서 몸을 던졌네

그녀가 묻힌 자리에서 피어난 꽃
백일을 붉은데 줄기 속은 비어있네

징검다리

이곳에서 주저앉으면
행복으로 가닿을 수 없어

하지만 네가 딛는 곳곳마다
수렁이 발목을 잡을 테지

내가 피어있는 곳을 디뎌봐
원하는 곳으로 인도해 줄게

나는 닿지 못해 이곳에 홀로 피었지만
너는 숲 밖에서 그와 함께 피어나렴

불티

저의 심상은 불티가 날리는 화원입니다
그러니 그대여 더 이상 다가오지 마세요
쉬이 옮겨붙어 까맣게 그을릴 테니

그럼에도 절 안고 싶으시다면
좋아요, 눈사람으로 와주세요

오래도록 성탄의 날에
초대받지 못했답니다

짧게 존재하시다
녹아 남지 말아 주세요

하얀 사랑으로 찾아와
투명하게 떠나가세요

잔향

향기 그 자체로 존재하며
당신에게 답을 구합니다

제가 어찌하면 당신을 사랑할 수 있을까요
제가 어찌해야 그대를 차지할 수 있을까요

제게는 목소리가 없기에
그대의 체취에 섞입니다

모두가 절 향기롭다 칭하건만
당신만은 왜 씻어내 버리나요

조로초朝露草

아침 이슬 향기 나는 방울
저를 칭송하는 이름이지만

주어진 시간이 짧아
덧없게만 느껴집니다

아침나절 찰나의 생을 끝내고
이슬과 함께 메마르려 해요

반가웠어요 새벽 같은 그대여
돌아가는 길 구름 한 점 없으시길

사랑하려거든

잎새에 상처 입어도
나를 원망치 말아요

그저 난 이곳에 피어났을 뿐
이 길을 택한 건 당신이니까

아무리 화를 내더라도
전혀 두렵지가 않네요

그러게 누가 제게 다가오라 했나요
사랑하려거든 가시까지 품었어야죠

늪

꿈에서 눈물을 흘리니
점차 땅이 질척해지고

금세 늪으로 돌변해
온몸을 잠식해온다

서서히 빠져들어 가는 길
붙잡아 줄 손은 이제 없다

또 하나의 사랑이 슬픔이 되었다
자홍빛 꽃 하나 뭍에서 자라난다

단장

아침에 피고 저녁에 지니
하루하루가 새 단장이다

꽃잎 주름 곱게 다려
노란 꽃술 감싼 자락

먼저 가신 님 그리워
보고 싶노라 적어본다

잎맥 따라 흘러버린 연서
검은 눈물에 젖은 꽃머리

가련

초여름 빗물부터
늦가을 서리까지

구름 뒤 저편의
태양을 향하여

특유의 향기로
편지를 보내다

그대로 얼어붙어
시들어 가렵니다

헌화

모진 해풍 맞아
모래 위에 뿌려진

해당화 꽃잎 한 줌
육풍에 휩쓸린다

파도에 삼켜져
심해로 끌려가

잃었던 내 님의
유해를 덮는다

도피

볕이 바스러지는 숲속의 작은 호수
물결과 함께 자전하는 요정의 춤

발끝으로 딛는 사뿐한 속삭임
수면도 공명하여 원을 그리는데

사모하는 눈들이 늘어나니
두려워 나무 그늘로 숨어드네

찰랑이던 투명한 날개가
하얗게 물들어 굳어가네

씀바귀

순박한 시골 청년의
첫사랑 이야기

모든 걸 다 바쳤지만
그녀는 떠났죠

하얀 첫눈이 내리던 날
먼 곳으로 시집간 그 사람

노란 꽃반지를 서로에게 끼워주던
순수한 언약의 봄날을 기억할까요

지고지순하게 믿었던 약속이
무명지에 쓰게 스며듭니다

과부

늘어진 하얀 술 꽃은
과부의 마음을 흔들고

죽은 사랑을 되살려
섶을 적시게 하네

가슴에 한이 맺혀
멍울지니 앓아눕고

밤나무꽃 질 적에
님 쫓아 홀로 가네

옷자락

늘어진 초록 발 아래
흐느끼는 바람 소리

스스스 스치는
과거의 옷자락

서로를 쓰다듬던 두 손엔
가뭄이 들어 물기조차 없는데

한 맺힌 눈물은 어이하여
메마를 생각을 않는가

끈

수양버들 가지에
얽혀 있는 슬픔을 아시나요

바람이 불 때마다 흐느끼는
그 울음의 이유를

소녀의 댕기 머리를 묶던
붉은 비단 끈이 바래어져

애달프게 져버린
그날의 노을빛을 알고 계신가요

가여운 사랑

제게 희망을 심어주었던 그대는
홀로 빛을 찾아 살아가시더군요

더 사랑한 게 나의 죄라
끝내는 용서하게 되겠죠

잠시만 아주 찰나의 시간만
작은 눈물을 흘리겠습니다

너무나 가여운 나의 사랑을 위해
헛된 약속을 믿어온 소녀를 위해

지우개

사랑이 무서워
향을 지우고

열등감에 사로잡혀
그늘로 파고드는 아이

키 큰 나무 아래
잎새 틈으로 들이치는 하늘이

세상 전부인 것만 같아서
희다 희다 사라져 갑니다

화분

나의 행복을 사르니
네 생명선이 길어지더라

무화과는 열매 속에 꽃을 피운다지
나 또한 널 내 안에 숨겨 키웠어

가끔 네가 화분이 좁다며 활짝 피려 할 때면
석류 알갱이 같은 화가 투둑하고 튀어나왔지

불그스름하던 너는 늘 빨간 것을 두려워했어
그때부터였겠지 잔가지부터 조금씩 쳐내던 게

건기가 찾아와 눈물이 말랐을 즈음
나에게 고했지 밖에서 피고 싶다고

의미 없을 이유를 물으면서
남은 흙을 털어주었지

그렇게 떠난 곳에서 너는 진실로 피어나더라
좁은 화분에선 겨우 봉오리였을 뿐이던 네가

안대

언제나 같은 하루를 반복하는
청초한 여인은 언제 사랑하나요

아침에 개화하고
저녁에 저무는

하얀 눈썹 노란 눈동자
언제야 그윽하게 떠질까요

하늘이 낮아 더운 계절
나비가 눈을 가립니다

서랍

젊은 날의 별리는
빛바랜 사진이 되어

먼지조차 들지 않는
서랍장에 담겨있네

그 위로 쌓여가는
닳고 닳은 추억들

멎어가는 울음은
자의가 아니어라

아직 겨울

오스타라의 눈망울에 물기가 어리면
심장을 멎게 하는 꽃이 피어난단다

이내 흐르고야 마는 꽃줄기
입술을 가져다 축일 수밖에

향긋한 봄날 풀숲 가운데
고요히 사그라드는 심박

손끝부터 아리게 식는 걸 보니
나의 겨울은 아직 가시지 않았나 보다

꽃길

어젯밤 비가 와서 꽃이 다 져버렸네요
괜찮아요 그 덕에 꽃길 걷고 있잖아요

이 아름답던 대화가
한낱 추억으로 변질됐을 때

하얗게 탈색되어 낙화한 꽃잎 아래
묻혀버린 이의 눈물은 하잘것없어라

스쳐 갈 뿐인 인연 속 언약
부질없이 길가에 흩뿌려진다

망각

사랑에 버림받기 두려워
푸른 꽃을 가슴에 새겼으나

범람하는 시간의 강물에
님은 떠밀려 멀어지고

쫓아 달리다 다다른
망망대해의 수평선

파도에 윤슬이 나부끼니
푸르던 꽃잎 휩쓸려 흔적 없네

퇴색

잊혀진 첫사랑
떠올리고 싶어

향기가 슬픈 꽃잎 따다
어금니로 곱씹어보았다

향기는 이리도 은은한데
맛은 이토록 쓰기만 하다

차마 채색하지 못했던 기억
보랏빛을 점철하여 덮어간다

상사병

향기에 취해 가까이 다가가 버리면
가시에 찔려 색을 덧칠할 뿐이란다

무엇인가 눅진하게 피부를 뒤덮는
한여름 더운 숨결의 붉은 덩굴 숲

그늘 아래 길 잃은 소녀는
어지러워 주저앉고 마는데

들고 있던 향수병이 깨어지며
잊고 있던 상사병이 타오르네

모성

이끼에 덮인 비석
손으로 쓸어보네

풍화되어 흐려진 묘비명
가족들에게 남기는 편지

내 이름은 당신께
어떤 의미였기에

첫머리에 가 있나요
어머니

매화도

잔뜩 부르튼 손을 가진
묵객이 매화나무 그린다

겨울바람에 손끝이 에여
핏방울이 몽글 솟아오른다

그린 것은 백매인데
그려진 것은 홍매다

피에 절어 굳은 붓 머리를
차디찬 계곡물에 씻긴다

단심

돌에 박힌 화살을 뽑아내지 못해
버려두고 잊었더니 꽃이 피었네

줄기 마디 마디가 나뉘어 자란 탓은
망각이 슬픔을 못 이겨 끊어진 마음

숲속으로 들지 않고
가장자리에 자라난다

저를 알아보는 사람이
언젠간 생기겠지 하며

능소화

갈맷빛 덩굴에
노을이 깃들어

저녁이 피어나기만 한다
당분간 밤은 오지 않을 터다

그렇게 꽃머릴 치켜들고 울어대면
어디 하늘이 내려와 닿는다더냐

결국 황혼은 찾아올 게다
낙화할 날을 기다리거라

백귀야행

바람이 부는 날에
스산히 우는 잎새

늘어진 가지 밑에
모여든 이매망량

사붓한 발걸음을
뒤쫓게 만드는데

따라간 곳은 필시
피안은 아닐터다

측은지심

눈 속에 얼어붙어
가만히 잠들었다

봄볕에 겨울이 녹자
달뜬 얼굴을 내미네

이제야 오셨냐는 듯
꽃잎으로 마중하는데

그 모습 왠지 서러워
손으로 쓰다듬어보네

모과는 읽어도 선비의 방에서 겨울을 난다

묵향 피어나는 집에
모과가 여물어간다

먹먹히 흐르는 글월 곁에
담채화로 자라나는 노랑

옅은 채색의 향이 그려져
그윽하게 문지방을 넘을 때

시를 읊던 선비는 눈을 감고
분홍 꽃을 떠올려 점정하네

첫 봄

눈 심어진 자리에 피어나
봄을 부르는 하얀 종소리

아담과 이브에게 주어진
신의 마지막 선물

언덕 위 성당에서
성가가 울려 퍼지면

투명하게 녹아내리며
성호를 긋는 세 장의 꽃잎

납매

하얀 눈꽃을 이고
섣달에 찾아온 한객

봇짐에 향기를
가득 채워왔나 보다

꽃나무 밑을 걸어가다
떨어지는 눈에 맞았다

푸석한 머릿결이
향유에 젖어 든다

동백

빨강 하나가
점점 되더니

마치 홍역을 앓는 듯
순식간에 붉어진다

하늘은 아직도 어둑한 것이
내릴 눈이 남은 것 같은데

산등성이에는 벌써
봄맞이 불꽃놀이다

별의 잔해

파도 소리가 멀지 않게 들리는
검은 바위틈 피어난 보석꽃

열매를 품은 감색의 별무리
갈라지며 씨앗을 흩뿌리는데

낮에 떨어지는 유성우
소리 또한 파도에 묻힌다

이듬해 봄 되면 알게 되겠지
별의 잔해 또한 별이란 것을

우산

긴 장마가 시작되었어
뿌리들이 목을 축이지

여기 하얀 봉오리가 있어
이제 막 피어나려 하나 봐

두터운 비구름은 언제 개려나
처마 밑 빗물받이가 소란스러워

세차게 비가 내리는 와중에도
가느다란 꽃줄기는 점점 자라나

어느새 내 키를 훌쩍 넘어서더니
꽃잎을 펼치며 구름을 몰아냈어

석류

붉은 보석을 품은
원숙한 아름다움

갈라진 피륙 사이로
언뜻 비춰지는 가녯

반투명한 과실을 훑어
초점을 흩트려 본다

비산하는 빛결
착종하는 빨강

설중매

가지 위에 눈꽃이
지지도 않았건만

그 자리를 걷으며
피어나는 설중매

아직 겨울인 것처럼
하얗게 숨어 피는데

이미 향기가 짙어
봄인 것을 들킨다

푸른 별꽃

오후 네 시쯤일까
무엇을 하기에도

그렇다고 아무것도
하지 않기에는 아쉬운

그런 시간의 하늘색이
꽃에 담겨 있습니다

구름 한 점 없는 마음
푸른 별꽃 피웁니다

초롱

밤눈 어두운 손님
마중하러 피었다

반딧불이의 타종
반짝거리는 밤길

조용하던 풀벌레도
이슬로 목을 축인다

다 같이 마음 모아
밝혀보는 오솔길

푸름

하늘같이 푸르고 싶어
머리를 한껏 뻗었다

같은 푸름이라 불리는데
나의 푸름엔 구름이 없어

지나가던 바람을 붙잡아
하소연했더랬다

바람이 멈추어 구름이 안개로 가라앉으니
나의 푸름이 검녹으로 물들어간다

그렇게 키가 자라 안개를 뚫고 나오니
나의 머리가 비로소 푸르게 느껴졌다

오상고절 傲霜孤節

마음이 혼란스러워
어디든 떠나려 하니

술잔에 떠 있는 은군자隱君子가
내려놓는 법을 알려주고

삶에 지쳐 모든 것을
끊어내고 돌아서려니

마당에 상하걸霜下傑이 피어나
굴치 않는 기개를 보이네

초겨울

황백색 여명이
산란散亂하여

자줏빛으로
저물어가네

이튿날은
겨울인가 보다

솜털을 잔뜩
누비고 피었다

호박

나무가 흘린 눈물에
풀벌레가 잠겨 들어

찌르르 울음소리가
송진에 갇혀 울리네

마지막 숨결
천년을 가니

광물이 된 수액 속
나이테가 빼곡하네

고양이 장난

개암나무 꽃들이
손잡고 피어났다

겨울눈에 싸인 암꽃
붉은 꽃술만을 뻗고

그 아래 늘어진 수꽃
바람결에 살랑인다

산책하던 들고양이
그 모습을 보고서는

눈길이 사로잡혀
앞발을 내뻗는다

경계

파도만이 남아 모래를 쓰는 밤
뭍과의 경계면을 가로지른다

물결은 발자국을 지우고
해풍은 혼잣말을 삼킨다

이질적인 백색소음 아래서
연보랗게 피어난 갯개미취

밤과 아침의 경계선
여명의 캔버스를 채운다

저먼더

덩굴이 기어오르기에
벽 한켠을 내어주었다

틈틈이 손을 뻗는 걸 보니
지붕까지 닿을 모양이다

아직 반절도 못 올랐는데
벌써부터 향이 나는 걸 보면
꽤나 싱그럽기는 하겠다

아직 잠들어 있는
꽃망울을 보아하니

짙게도 푸른 것이
화사하기는 하겠다

이불

딸기가 여물어 가는 담장에
갓 빨래를 마친 이불을 널어

바다가 멀지 않은 곳이라
해풍이 이불 단을 들춰

펄럭이는 하얀 장막
지지 않은 딸기꽃 같아

아침바다가 뱉어낸 해가
뒷산 능선을 구르고 있어

거둬들여 품에 안은 이불에서
짙은 볕 내음이 풍겨와

노을 꽃

추억은 석양과 닮아 있어
바래진 것은 늘 그리움을 낳는다

아픔마저 퇴색시켜
진흙으로 가라앉고

노을 머금은 꽃으로
정원을 일구어내니

마음이란 호수에
금빛 윤슬이 멎지 않네

눈먼 자의 울타리

색과 모양마다 이름이 다른
꽃들의 정원으로 들어선다

무수히 피었다 낙화하는
백일몽 미로의 입구에서

무명천으로 눈을 가리고
향기를 쫓아 길을 걷는다

이 화원의 이름은
눈먼 자의 울타리

절개를 지킨 한 아낙의
님을 위한 마지막 선물

찔레

여명 때 쪽빛을 머금어
이슬의 향과 어우러지고

박명 때 노을을 붙잡아
구름과 함께 사라져가네

안개 속 젖어있는 자태가
사랑스러워 걸음을 멈추었는데

황혼 속 메마른 꽃머리가
고독해 보여 아직 떠나지 못했네

향의 고향

꽃신에 수를 놓아
당신이 날 잃지 않게

내가 가는 곳마다
금세 쫓아올 수 있게

낮에는 그늘에 숨어 잠을 자고
밤이 되어서야 다시 떠날 테야

언젠가 짙은 향으로 둘러싸여
날 찾을 수 없을 때가 올 거야

내 고향에 온 것을 환영해
이제 밭은기침을 멈추렴

악수

돌담을 쌓아 올리며
손금을 그려 넣었다

자라며 쌓은 돌담이기에
담의 뒷면을 본 적이 없었다

허리가 굽어 돌담이 내 키를 넘어섰을 때
그제야 건너편으로 산책을 나가보았다

손길 따라 자라있는 초록이었을 손들
이제는 갈빛으로 물든 주름 가득한 손들

너희는 항상 나의 손을
잡아주고 있었구나

손이 하나 떨어진다
허리가 한 뼘 굽는다

춘희

춘희의 치맛자락은
백은의 거리에 붉게 나부끼고

떨기로 떨어진 머리 장식은
시린 늦겨울을 마저 녹이네

춤을 추거라 춘희야
찬바람이 미련 갖지 않게

달아오른 발끝을 디뎌
옅은 서리마저 남지 않게

복사

주름 가득한 씨앗을 짜내어
그 기름으로 얼굴을 씻기면

말간 홍조가 양 볼에
연붉게 무르익습니다

손이라도 스치면
멍들어 버리는지라

그윽한 눈으로
솜털만 훑습니다

제자리걸음

신의 뜻이 있겠거니 하며
눈물로 밥을 안치고

모든 것을 운명으로 돌리며
변함없이 부유하기만 하는

타인을 탓하기엔
너무나 여리게 태어나

사소한 변화에도 도망치는
제자리걸음의 아이

여신의 팔레트

곧게 뻗은 꽃사귀
봄을 채색하고

버들 닮은 잎사귀
바람을 쓰다듬네

사실 꽃길이 습윤한 까닭은
여신의 팔레트가 엎어진 탓

그럼에도 어리석은 우리는
발이 더럽혀질까 찾질 않네

나비무덤

가끔 그대가 떠오를 때면
정원에 핀 튤립을 원망해요

이 꽃의 헛된 이야기처럼
이제 당신은 돌아오지 못하죠

잊으셨을까요
무슨 색이 피어날까
함께 알뿌리를 심던 그날을

담장 위에서 흘깃
그대가 눈길을 준 것만 같아요
헛것이겠죠 향기와 스러진 당신일진데

시

향으로 나비를 불러들여
날개의 무늬를 필사하고

아이들에게 열매를 주어
전날 밤 꿈을 사 모은다

가시에 단어를 빼곡히 적고
줄기에 문장을 쓰고 고친다

이렇게 탄생한 한 편의 글을
꽃잎에 새기니 꽃말이 되었다

압생트

흰 털북숭이 잎사귀를 타고
혼몽이 깃든 꽃이 피어난다

그 특유의 향에 매료되어
사람들은 술을 빚게 되고

그렇게 탄생한 녹색의 요정
많은 예술가를 현혹한다

그리하여 받아낸 제물 중에는
어느 화가의 왼쪽 귀가 있다

시의 한 문장을 읊어주던 님이 나의 목덜미를 무는 꿈이었다

2022년 3월 14일 초판 1쇄 발행
2022년 3월 14일 초판 1쇄 인쇄

지은이 | 정재훈

책임편집 | 송세아
편집 | 안소라, 김소은
제작 | theambitious factory
인쇄 | 아레스트

펴낸이 | 이장우
펴낸곳 | 꿈공장 플러스
출판등록 | 제 406-2017-000160호
주소 | 서울시 성북구 보국문로 16가길 43-20 꿈공장 1층
전화 | 02-6012-2734
팩스 | 031-624-4527
이메일 | ceo@dreambooks.kr
홈페이지 | www.dreambooks.kr
인스타그램 | @dreambooks.ceo

ISBN | 979-11-92134-06-2

정 가 | 12,000원